神劍闖江湖

明治劍客浪漫傳奇—

卷之三
行動的理由

和月伸宏

登場人物介紹

神劍闖江湖

和月伸宏

武田觀柳

四乃森蒼紫

洗淨雙手的血腥、帶著一把逆刃刀的男人，緋村劍心｜他正是開創新時代明治的維新志士中，傳說中史上最強的「千人斬」緋村拔刀齋。維新後，他化身爲浪人劍心，並因緣際會地替神谷道場的代理師傳神谷薰解決了

前情提要

「假拔刀齋事件」，並因此住進了神谷道場。而假拔刀齋事件也使得神谷活心流的門下子弟紛紛求去，一個也不剩。後來，劍心從流氓手中救出了一位士族少年明神彌彥，彌彥也因此而成爲神谷活心流的門下子弟。而相樂左之助也因爲遇見了劍心而不再幹打架的買賣，並時常出入神谷道場，使得原本只有小薰一個人的道場頓時熱鬧了起來。有一天，劍心在左之助的強邀之下來到了賭場，並得知左之助有一位在賭場結識的好友死於鴉片。這時候，突然有一位美女高荷惠因遭人追捕而逃了進來，劍心替她解了圍。高荷惠見劍心手腳俐落、功夫一流，便有意請劍心擔任她的護衛。不過劍心卻發現追捕她的人竟是傳說中與鴉片有關的青年實業家武田觀柳手下的私人部隊……。

神劍闖江湖 —明治劍客浪漫傳奇—

卷之三

劍心他們怎麼那麼慢。
カァー
カァー
看來，他們不是大贏就是大輸了。
如果是大輸，恐怕全身的衣服都會被剝光，只剩下一件兜襠布。
弥彦想像图
討厭！我不想看到那個樣子！
那樣一點都不好看！
我回來了——
ギイ
劍心！
你回來啦——
啊

第十六幕「小惠，觀柳及…」

第十六幕「小惠，觀柳及…」
抱歉，回來晚了。

好寒酸的地方，
是劍術道場嗎？
？？
？
啊！
她叫高荷惠，
因爲我們在賭場發生了一點爭執…
其實是因爲對方輸了沒錢付，所以就以這個女的代替。
眞抱歉，就請妳暫時收留她吧！
!?
原來如此。那你們是大贏囉！
左之～～～助～～～～～!?
如果說出實情，勢必會牽扯上鴉片的事，
現在還是不要說比較好。

劍心，是眞的嗎？
ぷる
ぷる
ぷる
ぷる
ボンボン
難道你想把小薰他們也捲進這件事嗎？
嗯……
劍心……
是…眞的。
我眞是看錯人了！
混蛋！
好痛哦！
你怎麼會做出這種好像販賣人口的事！
げし
げし
左之助也就罷了，竟然連你也這樣！
げし
げし
我咧
這是什麼意思！

嗯…妳叫高荷吧！
對不起，我會好好跟他說的，妳可以回去了。
可是，我不想回去耶！
咦？
因為…我已經喜歡上這個人了！
クスッ
哇～
我不能一刻沒有他。
跟那個一身汗臭的小姑娘比起來，我要好得多了，
小劍♡
啊～
唷荷—
劍心挺罩得住嘛！

不…不行！妳不能這麼做！
哦——為什麼？
妳看起來並不像是小劍的情人！
妳有什麼立場說那種話。
くす
ぐ…
不要再為難人家了，小薰。
她可是非常單純的女孩子。
給我出去——！
統統給我出去——！
どごぉ——ん
真麻煩！
令人哭笑不得。

妳也真是不像話，竟然滿口胡言亂語。
我說不能一刻沒有他，可是真心話耶！
因爲他不但武功異常高強，爲人又那麼親切，
待在他身邊，就算觀柳的手下來找我，他也一定能保護我的！
緋村劍心…
我要你當我的保鑣！
如果妳想這麼做，至少也該把事情的經過說給我聽。
我有同感，妳從一開始就裝傻，什麼也不說，
妳到底是什麼來歷！
妳爲什麼要從武田觀柳那裡逃出來？
而觀柳他又爲什麼一直對妳窮追不捨？

還有鴉片！
妳是從哪裡、用什麼方法把這個東西弄到手的。
竟然問一個女孩子的過去，真粗魯！
少來這套！
風度、風度！
哼——算了！只要我一直纏著妳，早晚會找到鴉片的出處。
我的朋友死在鴉片的手上！
如果妳敢再讓鴉片流入市面，我絕對不會原諒！
我一定會讓妳後悔！
…哼！
如果妳不想說自己的事，至少把觀柳他們的事詳詳細細地告訴我們，
我想，他大概是鴉片買賣的大毒梟，對吧…

找到了！左之助！
！
原來你在這裡…
我找你找得快抓狂了！
呼
呼
呼
你不是阿修嗎？
怎麼了？你不是送阿銀他們去醫院嗎？
是啊！阿銀他們暫時不要緊，已經沒有生命危險了…
哦！那眞是太好了！
神谷活心流剣術道場
對了！我是來告訴你另一件更糟糕的事！
請你們跟我一起來吧！

ざわ
ざわ
ざわ
ざわ
ざわ
ざわ

那不是剛才那些觀柳的私兵嗎……
眞殘酷……！
凡是沒有利用價値的人，一律毫不留情、一腳踢開，
這就是觀柳一貫的作風……！
…………
怎麼了？

癒見！
是……是！
打爛你鼻子的劍客，
確實是紅頭髮、左臉頰上有一個十字傷疤的人吧！
是的！
咦？
啊！
啊——就是他！
小惠也在那裡！
正好！這次我一定要殺了他們——！
我不希望——
造成人群騷動！

住手！
謝謝你！
可惡…
那個男人在任何一方面都不是普通的角色，
癋見，你一個人再怎麼樣也不是他的對手！
他們就住在這裡吧！
「般若」，你也來了嗎？
是！
他們住的地方你查到了嗎？
查到了！那個男的感覺相當敏銳，查起來十分費功夫，不過總算…
很好…你就幫癋見一起去把高荷惠抓回來…
還有，轉告「醜男」也跟你們一起去！
了解！

可以嗎？癋見，我已經給了你兩個助手，
如果這樣你還搞不定的話，可別怪我！
……我會謹記在心！
那麼……
咻
竟然給別人第二次的機會，頭子，你還眞有人情味啊！
是嗎！
當然是啊！這種事，我就絕對做不到，
我是個實業家出身的人，因此遇上沒有用的東西，不把他立刻排除，怎麼樣都無法安心。
一旦順利排除之後，心神便會相當地爽快！

話説回來，那個小惠還眞是令人感到困擾。
那麼重要的下金雞蛋母雞，
絶對不能讓她逃了！
觀柳！

的確沒錯！
劍心，你看！那個向左看的男人就是武田觀柳。
那麼，右邊那個人又是誰？
這個嘛…會不會是私兵團的團長？
不！他是…
頭子…！
!?

除了私兵團以外…觀柳最近新雇用的人，
負責管理以前的密探「御庭番眾」…
御庭番眾
密探（江戶時代的偵探員，以現代的角度來看類似忍者）的一種，躲在將軍、諸侯城裡或居家附近，負責保護、警戒的工作。由一群武術比其他任何密探都高強的人所組成。
而這個人就是在即將進入明治維新時代之前，以十五歲的幼齡成為「江户城御庭番眾」頭子的天才密探—
四乃森蒼紫！

為什麼那種人會去當觀柳的手下？
我也不知道…不過，比起武田觀柳，這個人更是個難纏的強敵。
我們的對手是行跡可疑的實業家和危險的御庭番眾…
因此，我們更不能把小惠棄之於不顧！

登場人物創作秘辛　之八

—御庭番眾•癋見—

提到這個角色的創作動機嘛—其實可以說是我的即興創作。說實話，當初要畫小蕙這篇故事時，我曾和編輯討論過劇情，原來我是打算讓劍心他們和觀柳的私兵團交戰，但是編輯說：「以劍心他們那種身手，如果只和那些小癟三嘍囉們交手，未免太無趣了吧！」我接受了這個意見，因此便加上了御庭番眾這種史上眞有其事的密探角色讓他們登場。當然，至於細部設定，則是隨著故事的進行，再逐一順勢添加而成。

首先登場的癋見，一言以蔽之不是一個很强的角色，只不過是爲了使故事更加有趣的調味料罷了，因此他的個性什麼的，我完全沒有事先設定，畫著畫著他就變成了現在這種無能而又小心翼翼的傢伙。後來，隨著故事的進展，我又替他添加了另外一面。不過，現在還是暫時保密，請各位讀者自己去發現。

由於是即興創作的角色，因此在造型設計上也沒什麼特別的地方。不過，因爲我想把御庭番眾都畫成一些怪模怪樣的男人（蒼紫除外），所以我就把他畫得比劍心還矮小。由於他個性謹慎，個頭又小，因此竟然得到一些喜歡小可愛型的讀者們的喜愛。當我陸陸續續聽到「癋見好可愛哦！」之類的意見時，心裡還眞有一股說不出來奇妙的感覺呢！

伸宏
和月
第十七幕
「御庭番強襲」

這麼說來，觀柳私兵團的成員依圖所示，大約有六十人，
是吧！
武田観柳私兵団
剣客隊(十)
槍士隊(十)
侍童隊(十)
是的。
御庭番眾呢？
我不是很清楚，不過，大概不超過十個吧！
那麼，接下來，
妳那些鴉片是從哪裡到手的？
一提到鴉片的事，妳又馬上一句話都不說。
呼！
我已經告訴你很多情報，讓你在對付他們時更有勝算，
鴉片的事和這件事無關。
你不要問多餘的問題，只要把那些人趕走就行了。

不過，如果御庭番眾真的全力出動的話，
這些人恐怕也不是他們的對手。
在這裡久留無益……還是趁他們打得一團亂時遠走高飛才是上策。
小惠，我看妳還是從頭把——
……
……
すっ
夠了沒！你再問我也ㄧ不會說的！
ドキ ドキ ドキ ドキ ドキ ドキ
偷偷ㄅ摸摸
偷看別人不太好吧，小姐！
妳不怕有辱神谷活心流代理師父的名聲嗎！
討厭！

因——為因為因為因為因為他們兩個一回來就躲進房間裏嘛！
……
どどどどど
好了、好了！沒事的，沒什麼好擔心的，小姐！妳放心吧！
なでなで
傷心欲絕淚如雨下
嗚嗚——為什麼——
因為那傢伙的天性啊！
當他遇見有困難或是陷入麻煩中的人，便會不由自主地非幫忙不可，這就是浪人的天性。
…………
尤其是對女人和小孩。
左之助，你是不是也一樣？
少胡說了！
雖然他的劍術超強，但面對人，他可是最弱的。
說的有理！
我只想替我的弟兄們報仇而已！
像那種狐狸精，我才不放在眼裏呢！

ガラララ
左之助，沒有異常的現象吧！
嗯。
這是觀柳他們的組織圖，你拿去看一看吧！
我們現在要面對的是御庭番眾，最好抱著他們隨時來犯的警戒心，
千萬大意不得！
劍心！
你的字還眞醜！
眞的耶…跟和月差不多…
別說廢話！我說的話你們聽清楚了沒！
還有，小薰—
因爲種種理由，我無法對妳詳細說明，
這一陣子，這裡恐怕會有一些騷動發生。

不過，我絕不會再犯像刃衛那一次的錯誤！
我一定會好好地保護妳！
……！
所以我希望妳能暫時睜一隻眼、閉一隻眼。
にぱっ
呵呵呵！
……我明白了
可是，等事情結束以後，你一定要跟我說清楚哦！
我聽到了！
劍心！
!?

這裡也許即將發生騷動，對不對？
彌彥，你什麼時候躲到那裡去的？
這孩子真靈活！
注:弥彦
でぇ～ん
託你們的福！我從傍晚開始就一直把自己壓扁在那裡。
別說我了！你們實在太過份了！為什麼只瞞著我一個人！
好歹我也是劍心組的一員啊！
劍心組是什麼？
什麼時候成立的？
你別忘了，你只是個小鬼，說話不要那麼狂妄！
左之助你這個王八蛋！少在那裡說一些歪理！
看我怎麼教訓你！
げし
過一百年再來吧！

就是這裡。
準備好了嗎？按照計畫進攻！
醜男！般若！

不要用那種臭屁的語氣命令我！癋見。
!!
我們可是奉頭子之命來幫你的，
希望你不要忘了這一點！
……
住手！
還沒打就起內鬨，能贏的也變輸了。
哼！對方只不過兩個人而已，就算沒有你們我也不在乎！
我「醜男」一個人就綽綽有餘了！

!?
來了……！
在門那邊！
！

快老老實實地把小惠給交出來！
我可以考慮手下留情！
你就是御庭番眾的一員吧！
沒錯！我就是御庭番眾其中的一人，
人稱醜男的便是在下！
醜男？
你長得這麼可愛，怎麼會叫醜男呢？
我看你還是改名好了。
哼哼！
……

嗯！你們哪一個要先上？
還是你們想一起來，我不介意。
那傢伙只不過是有點蠻力罷了。
劍心，這裡就交給我吧！
不過，對方可是御庭番眾，恐怕沒那麼簡單…
管他簡不簡單，我不在乎！
只要活捉他，就能逼問出鴉片的事！
你先來嗎？
摩拳
擦掌
哼！

喝啊啊！
呀！
不管你的蠻力有多強，
如果無法命中對方，是毫無意義的！
哼！多謝啦！
竟然自己跑進我的射程範圍來。
?

什麼！
左之助！

好危險耶！你這個死肥章魚！
プス
唔！
呵呵！竟能躲過我的必殺絕技「火焰吐氣」，
不過，下次就沒那麼簡單了！
哼！
哼哼哼！少在那裡空口說大話了，有本事就拿出來讓我瞧瞧！
把特製的油袋放入胃中，再利用打火石製的牙齒摩擦點火，這就是御庭番裡的火術。
「醜男」他還有另一個綽號就叫做「火男」！
他能把任何東西都化爲灰燼！
受死吧！
ぎり

你一直看著旁邊幹什麼？
你的雙手在這裡！
!!
哼！你別急，我先把這小子給解決掉，
待會再讓你嚐嚐烈火焚身的滋味！
就憑你那種路邊作秀的小把戲，休想燒掉我一根頭髮。
竟…
竟敢說我是路邊作秀的！

以快速旋轉使逆刃刀產生的強烈氣流做盾牌……！
白痴！
你以為你那一招能用多久—
我要你清楚地體會一下，誰才是路邊作秀的街頭藝人！

オオオオオオオオ
現在逃走是不會被任何人發現的……
じゃり…
妳想去哪裡？
！
劍心爲了妳正在與人戰鬥，
妳應該好好地在旁邊看著才對！
…不管再怎麼打，他都不可能會打贏的。
醜男在御庭番眾裡可是屬於中等密探，
他和下等密探的癋見可是不一樣！
不！他會贏！

你不了解劍心，
唔…
唔喔喔喔~~~
他雖然是劍客，但並不是普通的劍客！
ゴ
おおおおおお
!!?
怎麼可能！五升的油都用完了…
你現在知道——
誰是街頭藝人了嗎！
………!!!

登場人物創作秘辛　之九

—御庭番衆・醜男—

創作動機同樣無可提之處。總而言之就是從「醜男」（ひょっとこ）這個字的本字「火男」（ひおとこ）的漢字開始聯想而發展出這樣一個會使用噴火術的角色。

既然他是一名密探（簡而言之就是忍者。不過，說忍者總覺得有點俗氣，所以我就用「密探」這個名詞），我就不由自主地希望他能有個什麼特別的功夫，因此噴火術就出現了。然而，當我回過頭去重新再看一遍時，卻覺得有點不協調，怎麼說呢？大概是跟故事裡的世界有點格格不入吧…至於在個性方面，由於他是突然登場，然後又一下子就被打敗的角色，所以很自然地，他的個性就被我設定爲一個驕傲自大的笨蛋！

順便一提，劇中用火焰吐氣一招的醜男和用旋轉逆刃刀來當盾牌的劍心，無論是讀者諸君、同人誌，或是我那一票親朋好友，大家都認爲：「兩個人都很像街頭藝人！」後來我仔細想了又想，不禁苦笑起來（我在畫這篇故事的時候正值酷暑，每天泡在汗水裡，身心俱疲，還望各位海涵！）。

在造型設計上，仍然是參考在美國漫畫裡登場的突變體角色。正如我以前所提過的，我想把這些角色設計成怪模怪樣的異類，再加上當初設計角色時，他的胃裡有一個油袋，因此我把他畫成一個極度肥胖的男人。不過，因爲我是第一次畫這種體型的角色，剛開始時覺得這也不對、那也不行地改了又改，實在傷透了腦筋。但是後來習慣了以後，反而覺得這種角色特別好畫而特別愛畫他呢！

唔！喔……
竟然…利用刀的旋轉來擋開他的火焰……
第十八幕「劍心組反擊」
他不是一般的劍客！這個男的究竟是……
別得意的太早！
喳！
！
他想要補充燃油！

第十八幕「劍心組反擊」
左之助……
伸宏和月

謝謝你幫我，不過，那傢伙是我的！
不好意思！
我希望能和他重新一決勝負！
……
我明白了。那就交給你吧！
スッ
喂！你們兩個耍什麼帥啊！
左之助的右腳已經受傷了耶！
沒問題！交給我吧！

補充完畢！
沒看過你這種腦筋有問題的人，被燒成那樣還裝模作樣地想出風頭！
腦筋有問題的人是你，
你以爲你那種騙小孩的把戲能用多久！
我非把你們燒成灰不可⋯
竟敢把我最引以爲傲的絕招説成是街頭作秀、騙小孩的——

我要你葬身火窟！
少臭屁！
好強烈的火焰吐氣！
這次看你往哪逃！

!?
什麼？
正確的判斷！
既然難以躲開，倒不如直接衝向對手，還能把受傷的情況減至最低……
喝啊！
唔咕？

你要把戲的道具暫時借我一下吧！
唔…咕…咕…
ズ ズ ズ ズ
ル ル ル ル
だむ
啐！沒想到你引以爲傲的東西就是這個骯髒的油袋。
咕…唔…
你已經毫無勝算，
老老實實地投降吧！
プス
プス
スル
…哼哼！
小笨蛋！
！

毫無勝算的人是你！
你兩隻手都被我燒成那樣子，我就不信你還能出拳——
打我!?

打架並不完全靠拳頭，有時候也要靠腳踢，
不過，你的腿那麼短，我想你大概不太明白這一點吧！
太簡單了！
にぃ
還說大話，看你全身被燒成那個樣子！

不過，總算贏了……
不管怎樣，沒人能否認你實在很厲害……
你說的是真心話嗎！
ずかずか
……好厲害……
他們兩個到底是誰……？
我早說過了，妳不了解他們！
那兩個人是我最信賴也最引以爲榮的—
好朋友！
你不要緊吧？
パタパタ

哇！傷得好嚴重！你一定贏得很辛苦吧！
不會吧？
妳說什麼——！
朋友——
！
對了！這傢伙怎麼處置？
是啊！用水把他澆醒吧！
他媽的…
沒想到，醜男那傢伙三兩下就被幹掉了…難道這次又要失敗了嗎…！
可惡…
不…

說來說去，這都是高荷惠惹出來的！
要不是妳這賤人在我當班那天逃走，我今天也不會…
雖然我搞不懂武田觀柳爲什麼這麼在意妳…
但是，我今天會遇上這種麻煩都是因爲妳…
呼—
呼—
呼—
我不會輕易放過妳的！
殺氣！
大家小心！還有人躲在附近…

我要殺了妳！
在那裏！
!?

危險！
什麼！
彌彥！
どじゃあ
碰
你這小子真是亂七八糟不知好歹！
好痛！
不管飛鏢有多小，萬一打中心臟怎麼辦！
看到有危險就應該馬上往後退啊！

別說傻話了！
雖然我不太明白事情的來龍去脈，但劍心他們不是要保護這個女的嗎！
我身為劍心組的一員，
就算對手再厲害，我也應該挺身而出！
對自己的徒弟有信心一點行不行…
咦？
彌彥！

有毒……！
糟了！
哼哼哼！知道我的厲害了吧！
那小子只剩一小時能活了！
毒殺螺旋鏢！
這可是我御庭番眾癒見的得意絕活！
讓你們全都嚐嚐我毒鏢的滋味吧！輪到你了！
紅毛小——
子？

磅！
嗟！
！
呃啊！

ざッ…
……
好戲開鑼了……！

劍心！彌彥……
彌彥他—
彌彥，你這個小混蛋！給我振作一點！
彌彥！
彌彥！
彌彥！

彌彥！
第十九幕
「會津姑娘」
……
伸宏和月

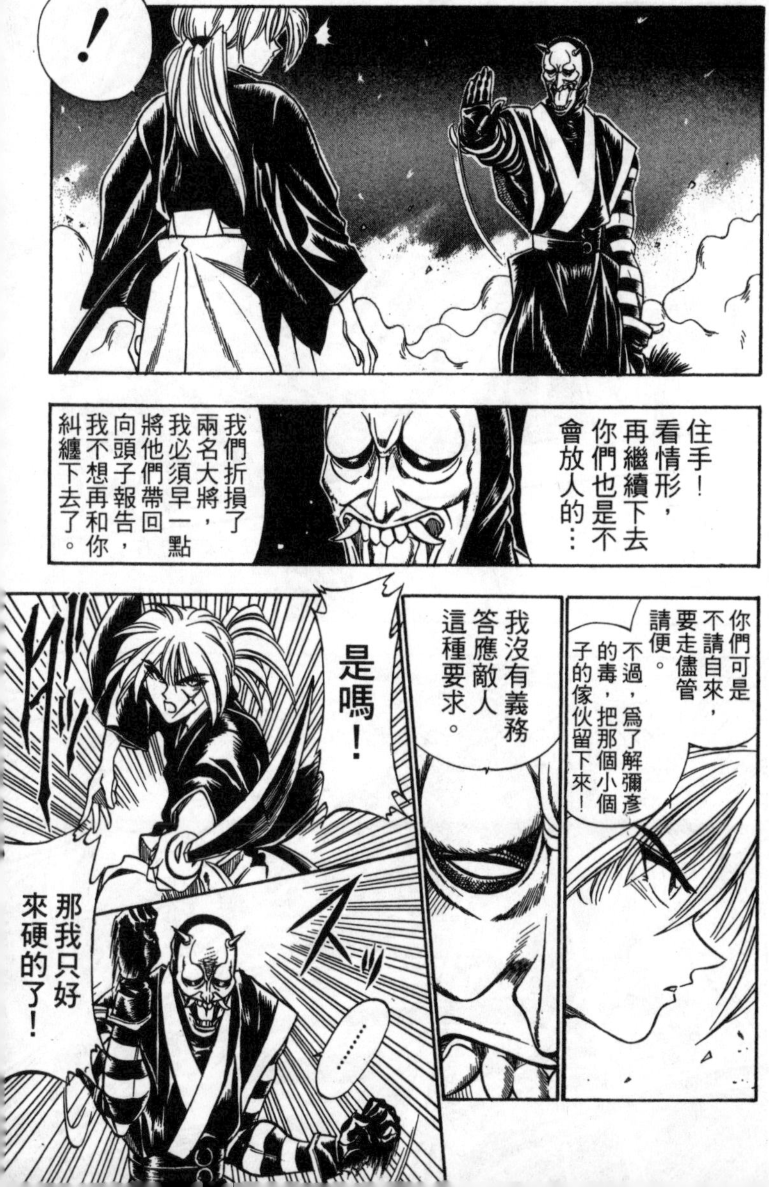
！
住手！看情形，再繼續下去你們也是不會放人的……
我們折損了兩名大將，我必須早一點將他們帶回向頭子報告，我不想再和你糾纏下去了。
你們可是不請自來，要走儘管請便。
不過，爲了解彌彥的毒，把那個小個子的傢伙留下來！
我沒有義務答應敵人這種要求。
是嗎！
……
那我只好來硬的了！

!?
鏘！
在冰涼如水的表情下，
卻有一顆熾熱的心！

……不必慌張！你窩藏高荷惠的罪行，我一定會找你算清楚！
到時候再一決高低吧！
好敏捷有力的動作……這傢伙的實力和醜男他們相差甚遠，恐怕是經過苦練的武術家！
可惡！

劍心！
彌彥他——
彌彥！
タタタ……
怎麼辦？
我也不知道……
如果是刀傷或骨折，我還有辦法，可是解毒……
總之，先把毒從傷口吸出來吧——
好！我馬上吸！
住手！
!?

妳是要我見死不救嗎？
給我閃一邊去！
笨蛋！
如果直接從傷口吸毒，萬一細菌感染，反而會更糟糕！
現在不是外行人插手的時候！
スッ
退下！
呼——
昏睡、身體有微熱…不明顯的痛苦狀，再加上瞳孔全開，這是…
曼陀羅葉毒！
呼——
小姐，妳這裡是道場，應該有附屬的大夫吧！
我開個藥方，妳去把藥抓回來！
劍心，你去燒水，
然後再把毛巾和家庭用藥準備好！
你到冰屋去，有多少冰就全部都買回來！

解毒就像和時間賽跑一樣！
動作要快！
再靜養個三、四天應該就能恢復了。
呼——
這樣就行了！
ワァ
太好了！彌彥！
天搖地晃
唔…
我是説如果能好好「靜」養的話…

謝啦，死老頭！你這老小子幹得眞漂亮！
ぱし
你這是在答謝嗎？
ぱし
要謝的話，去謝開這張藥方的仁兄吧！
這張藥方可不簡單！不但解毒的藥材配得好，就連調理的藥材也配得完美無缺！
能開出這張藥方的人，一定精於西洋醫學的藥理。
她不是只對毒瞭解得比較多而已嗎？
毒和藥其實只有一線之隔。
就拿曼陀羅葉來說好了，它可是一味藥效極佳的藥材。
它又叫做「朝鮮朝顏」。江戶中期的名醫—華岡青洲所配製，用來做爲手術時麻醉的「痲沸散」裡，它可是主要的一味。
開這張藥方的人，對西洋醫學中的藥劑學尤其擅長，
我可以這麼斷言！
眞不可思議⋯
我還以爲她只是個驕縱惡劣的壞女孩⋯

女孩？
是啊…
難道是…
高荷惠？
！
你認識她？
三年前，有一位大夫慘遭殺害，
而高荷惠正是那位大夫的助手…
………
ス…
………

妳要去哪啊？
!!!
請留步！
女孩子晚上在外遊蕩很危險哦！
呼—
差點被他嚇死…
呼—
…你不用去照顧那位少年嗎？
不用了！彌彥的韌性可是強得很。
謝謝妳救了他一命，我代彌彥向妳道謝。
…不必道什麼謝！癋見他們也是我引來的。
對了！妳打算到哪去？
にぱ♡
不要故意轉移話題好嗎！可惡！
反正我得離開東京就是了。
觀柳大概暫時不會派人來追我了，沒有人會阻撓我，你放心吧！

在妳的故鄉會津……還有人等妳回去嗎？
!?
不管妳說話怎麼故作輕佻，從小說到大的地方口音是不可能藏得住的。
幕末時，我曾在京都幾度與會津的武士交手，
因此我一聽就知道了。
你……
真是個讓人吃驚的傢伙。
不要再隱瞞了，
是把事實原原本本說出來的時候了！
提起※會津藩的「高荷」，那可是我們醫界相當有名的一個家族。

※現在的福島縣。

高荷家世代都是醫師，連女人和孩童也都會醫術，是相當奇特的一個家族。
但是，他們最爲人所稱道的都是「患者一律平等」的信念。
江戸時代，身分的差距比現在明顯得多，雖然他們貴爲御醫，卻從不過問病人的身分，總是全心全意地醫治每一個病人。
雖然那些講究絶對階級制度的武士們對他們這種作爲極爲反感，然而對我們醫生來講，這卻是「行醫者的理想」。
而小惠的父親——高荷隆生正是其中的佼佼者！
他爲了想一窺西洋醫學的高療效，毅然脱藩，全家遷往長崎學習西洋醫術。
在當時，脱藩這種事的嚴重性，不是你們這些年輕小伙子所能理解的。
コクコク
然而，當高荷一家獲得特別許可，準備回會津時，
幕末維新生死攸關的戊辰戰爭之一——
「會津戰爭」卻開戰了！

會津戰爭
會津藩不承認維新政府是官方軍隊，結果反而被視為與朝廷為敵，並和官方軍隊爆發了戊辰戰爭，其中第四場戰役便是會津戰爭。
會津藩男女老幼全部投入了這場戰役，最後甚至一度開城，然而終究敵不過維新政府的近代軍備，於一八六八年九月二十二日投降。
由於會津藩在維新前擔任維護京都治安的職務（京都守護職），旗下管轄的新撰組曾大力取締維新志士，因此在維新政府成立後會津的百姓遭到了長久的不當鎮壓……
高荷家除了一個年幼的小惠外，其他人都無法完成醫師的使命而走向絕望的戰場。
結果父親戰死，而母親和兩個哥哥也在戰火中不知去向。
從那時候起，小惠就成了孤伶伶的一個人了——
……

我想從那時候開始，她一定吃了不少苦。
五年前，她來到東京，成爲一位大夫的助手。
因爲我和那位大夫是舊識，因此我就認識了小惠。
那位大夫如我剛才所言，在三年前被殺了…
對了！小惠也是在那個時候失蹤的。
無論如何，我都想見小惠一面，她現在在哪？
啊…
對了…從剛才起就一直沒有看見她！
糟了！她該不會…！
五年前，沒有人知道那件事——
那位大夫其實和觀柳是一夥的。

觀柳便宜地買進製造鴉片的原料，
然後交給那位大夫精製後賣出，兩人一直進行得很順利。
那位大夫所精製出來的東西就是這個——
ゴソ…
這通稱「蜘蛛之巢」，雖然看起來和一般的鴉片沒兩樣，但卻是完全不同的新型毒品。
利用特殊的精製法，只要原料的1/2，卻有2倍強的藥性。
也就是說，它的利潤有原來的4倍之多。
如果大量上市，不要五年，東京就會成爲這玩意的天下！
觀柳爲了要大量販售，便想問出這玩意的精製法，
但是那位大夫爲了獨佔利益，堅持不肯透露，
就這樣，兩人發生了口角，結果在爭執中，觀柳誤殺了那位大夫。
而身爲助手——也是唯一知道精製法——的我，
就被他們硬逼製造這些毒品。
當我知道我所做出來的藥不但不能救人，
反而會害人時，我眞想死…

然而，我又不甘心就此死去…
因爲…只要我活著，並且持續從事有關醫學的工作，也許有一天——
我能和失散多年的母親及哥哥們重逢…
ポロ…
這三年來，我一直抱著這樣的想法，並做著這種會要人命的東西…
不過，
妳會遭到觀柳的逼迫，是因爲這種精製法只有妳一個人知道。
什麼？
至少已經將「蜘蛛之巢」的產量降至最低，把犧牲者的人數減到最少。
而妳沒有讓這種罪惡外流，只是自己一個人承擔著所有的過錯。

三年來嚐盡了人間的苦楚…
現在，該是妳解放自己、重新恢復自由的時候了。
──劍心…──
那些傢伙是不會輕易罷手的，
妳暫時還是待在這裡比較好。
可是…
可以吧！小薰！
!
……

好吧！
一個人的痛苦我能體會，
如果沒有劍心在，我也和妳一樣是孤伶伶一個人。
接下來，就剩如何對付觀柳這個問題了。
スッ…
但是，妳可不能對劍心有任何非份之想，
否則我就把妳趕出去，絕不原諒！
ボソボソ
？
…
……
…是嗎！那癋見和醜男兩人暫時都成了廢人囉？
是的！

對了！般若，你身上的傷不要緊吧？
是，我還挺得住…
正如您所言，那個男的確實非等閒之輩。
他竟能在挨我一掌的同時，利用反動力攻擊人體最重要的肝臟部位…
還能動嗎？
ぱたん…
兩、三天以內要想打鬥恐怕有點困難，
不過，如果只是諜報活動的話…
好！利用這三天，去把那個男的的過去全部挖出來！
我就不信我查不出他的底細！

第二十幕
「行動的理由」

和月伸宏

我已經有好幾年沒作萩餅了。
哦！
哎呀！
咦！

哦！哦！哦！
ガツ ガツ ガツ
哎呀！哎呀！哎呀！
眞好吃！
謝謝！
萩餅這種簡單的東西，誰來做都一樣好吃。
才不呢！
以前小薰做的，簡直就像泥巴包子似地——……
廢話少說！
劍心
傷腦筋！眞是個粗暴的女孩。
哎唷——……
怎麼樣？把她甩了和我在一起——
KO

小惠——!
喔呵!
刷刷!
……
給妳三分顏色,妳就開起染房啦!
我不是說過,如果妳敢動劍心的腦筋,我就把妳趕出去!
あっ
喂!喜不喜歡他是我的自由吧!
ズイ
唔!
妳這麼處處刁難我,就證明妳對自己沒有自信。
ズズイ
唔唔!
不甘心就努力點,做出好吃的萩餅啊!
呵一呵呵一
拍——
拍——
……
唔唔——無話可說。
我還以為她變得比較嫻淑呢,其實一點也沒變。
ハグ
ハグ
不過,她開朗了不少,整個人也比較有活力。

這是好事啊！
才怪！
ぷんすか
搞什麼！一大早就開始唱鬧劇了。
左之助！
那老頭的鑑定結果出來了，這的確是造成民間大亂的新型鴉片。
是嗎……
對了！你還沒吃早飯吧？
免了！
鴉片女做的東西會比小薰做的好到哪裏去！

……！
昨天整晚都沒睡，
我去躺一下，※午砲響了再叫我起來。
你給我等一下！
你說了話就想算了嗎！
ぬ～！
別氣、別氣！
※午砲：告知正午的大砲。
小惠，妳也別放在心上！
左之助～～
明白了小惠之所以製造鴉片的原因，也了解她過去的來歷…
這麼一來，也不能怪罪於她，
而觀柳的人也已經一個星期沒有任何行動。
我原本已緊握的拳頭，現在卻不知道要往哪擺…
大概是這種感覺，造成我心情浮躁吧！

也只好靜觀其變了……
カチャ
カチャ
……
カチャ…
鴉片女——…
午安——！
！
承蒙您時常照顧！
我是租書的。
最近來了很多新書哦！要不要來一本？
啊……
小姐，最近時常看到妳，妳是不是新搬來的？
不是啦！我只寄宿…
是嗎！

那太好了！
！？
啊唔！
安靜點……如果惹出事來，我就把這個倒進井裏。
搖晃
水銀……！
武田觀柳有事想和妳談談，
只是想和妳說些話而已，並沒有要帶妳回去的意思。
麻煩妳和我走一趟吧！
……!!

吸—
…有話快說！
我不說妳也應該明白吧！
不要再鬧了，趕快回來。
要我回去？你以爲我會答應你嗎！
那還不如死了較快活！
是嗎？那麼我只有一句話奉送—
ふしゅう

如果妳不肯回來，那我就一把火燒了神谷道場！
什麼！
只要我發動私兵團和御庭番眾，再加上附近的一些流氓混混⋯
動員起來也有五百個人。再把道場包圍起來，施放火箭，那些小老鼠連一隻都跑不掉！
不會叫的黃鶯，我還留著幹什麼呢！
只是想到妳一個人在黃泉路上也許會寂寞，所以就讓妳多帶幾個朋友一起去。
別再傻了！
啪！
ニヤッ
妳還沒停止作夢嗎？

妳精製會致人於死的鴉片這件事，不管妳有再多的藉口，它都是一件無法動搖的事實。
就算妳運氣好，能和妳的家人見面，當他們得知向來聲譽清高的「高荷家」竟然會有這種製造毒品的女兒，他們會怎麼想？
再逃下去就沒什麼意思了！
我、妳和鴉片三者可是生命共同體。
直到——
永遠！
對了！放火的時間預計在今晚零時，
時間不多，妳自己好好考慮一下。
再見。

高荷惠會回來嗎？
最好會，否則就麻煩了。
你們也知道，臉上有十字刀疤的就是傳說中的千人斬「緋村拔刀齋」，
我們最好加把勁使事情有所進展，避免惹他才是上策！
「高荷惠是自己心甘情願回去的」，
這麼一來，拔刀齋就沒有干涉的理由了。
理由…
…我逃不掉的…
無論是觀柳…
還是鴉片…都是我一生無法逃開的夢魘…
鴉片女…

好久不見！我是和月。依照慣例，還是來談談讀者來信的事吧！最近男性讀者的來信有增多的趨勢。畢竟，這是一篇少年漫畫嘛！（不過話雖如此，比例仍然維持在7：3。）我現在正著手整理這些信件，準備回信，所以請各位讀者稍微耐心地等一下，尤其是那些已經寫來幾十封信的朋友…（致上我十二萬分的歉意。）

和月伸宏

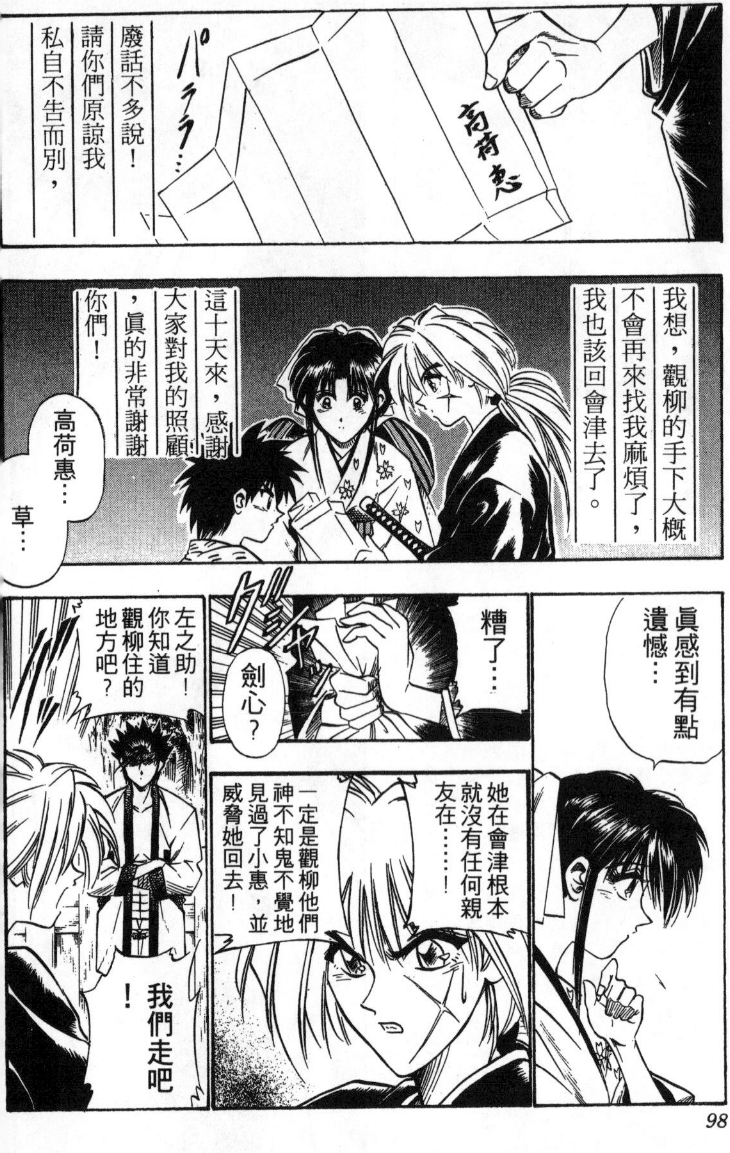
高荷恵
パララ…
廢話不多說！
請你們原諒我
私自不告而別，
我想，觀柳的手下大概
不會再來找我麻煩了，
我也該回會津去了。
這十天來，感謝
大家對我的照顧
，真的非常謝謝
你們！
高荷惠…
草…
真感到有點
遺憾…
糟了…
劍心？
左之助！
你知道
觀柳住的
地方吧？
她在會津根本
就沒有任何親
友在……！
一定是觀柳他們
神不知鬼不覺地
見過了小惠，並
威脅她回去！
我們走吧！

你去啊！
那個鴉片女的事，跟我沒有任何關係！
左之助！
王八蛋！你什麼時候變得那麼庸俗啦——！

別鬧了！左之助。
這樣一點也不像你！
……
…少囉嗦！
那女人做的鴉片害死了我的朋友，
我可不像妳是個大好人！
也不像你這個浪人到處留情！
我憑什麼還要管她的事情！

左之助，你大概不會仔細看過小惠的眼睛吧！
雖然她總是一副頑強高傲的模樣，但有時候，在一剎那間……
！
妳是…
卻能發現她看著我們的眼神，是那麼寂寞而悲傷。
那種眼神，就像是一隻被遺棄在路邊的小狗──
告訴觀柳，
說我高荷惠已經回來了。
不斷在尋找一個能容納她的家。
如果人要做什麼事都一定要有理由的話──
這就是我的理由，夠充分了吧！

——……
劍心！我也要去！
彌彥！
等一等！你去只會礙手礙腳而已！
がし
少囉嗦！那個女的可是救過我一命！
就算賠上我這條小命我也要去！
如果連這一點都做不到，還算什麼救人劍神谷活心流！
……
這孩子……在不知不覺中，
也逐漸稱得上是一位劍士了……

這一趟看來恐怕會搞到天亮！
別忘了準備好五人份的早餐和洗澡水。
左之助！
我不再想那麼多了！
就讓我以本性去大幹一場吧！
……好！
走囉！

伸宏和月
這就是武田觀柳住的地方嗎！
第二十一幕
「疾風怒濤」

是的！怎麼看，都是大又俗氣、令人厭惡的房子。
那麼，我們要怎麼幹掉那傢伙？
以寡敵眾，講究的是速戰速決。我們破門而入後，一口氣衝到玄關，展開奇襲。
門口的兩個衛兵已經遭到K.O
也就是正面突破囉！好！
左之助！
你可別輸給我，聽見了嗎！
げし
げし
……
走！

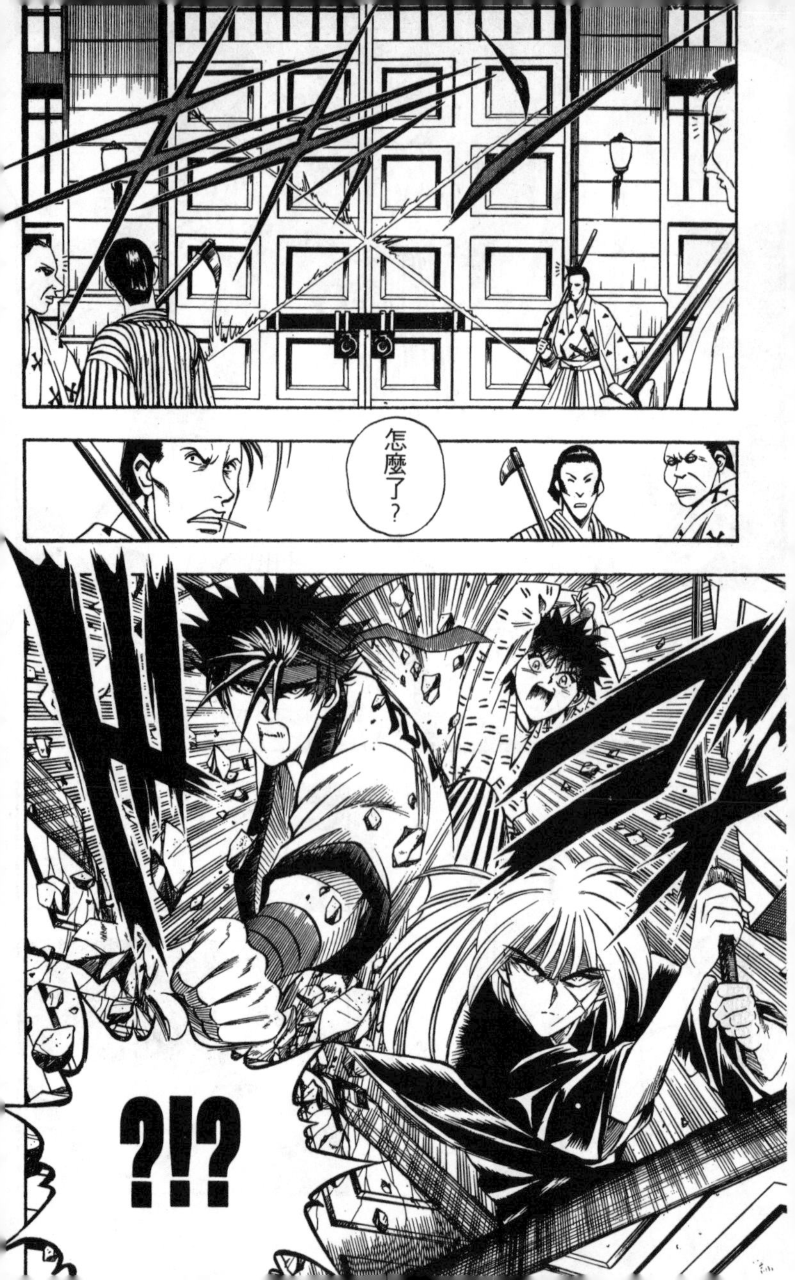
怎麼了？
?!?

妳回來啦，小惠。
クスクス
我就知道妳一定會回來，
因爲妳除了這裏，根本沒有別的地方可去。
「蜘蛛之巢」的庫存量就快沒了，
妳快替我再做些出來。
……
唉—妳也眞會找麻煩，
爲什麼總要跟我作對呢？
ツカツカ

我可是一直都覺得妳很可愛。
ス…
可愛的是，我做出的鴉片替你賺到的錢吧！
隨妳怎麼説！
錢雖然可愛，不過，妳也不差啊！
是嗎？很遺憾，我不是回來替你製造鴉片的。
什麼？
我是回來——
殺武田觀柳的！

哇啊！
別擔心，我和你可是生命共同體，
你死後，我也不會多活的。
我已經説過了，與其要我回來，那還不如一死。
……
我已經不想再活著增加自己的罪孽了。
就讓我們一起下地獄吧！
……
雖然對那些深爲鴉片所苦的人們來説，這根本不足以贖罪…
哇啊啊啊啊！

鬧劇到此為止！
!?
短刀呢？
!!
呼—哈—呼—哈—
妳……
妳這個……
臭婊子！

因爲上次我用強硬的手段對付那個大夫，結果失敗了，
所以我才會對妳這賤人採取懷柔政策！
不要小看我武田觀柳！
妳這個不知好歹的傢伙！
呼—
呼—
呼—
ドサ…
去叫私兵隊來，給我嚴刑拷打，逼問出精製法！
除了一些侍童以外，其餘的人都在外面。
什麼？
你仔細聽聽看吧！

嗶——！
這是…緊急時的警笛聲…！
那個男人，
已經來了！
哇啊啊啊啊!?!?

好…好快！他…他…
オオオ...
他是人嗎？
嗨！各位——！
不要看旁邊……！

否則會
受傷哦！
左之助！
呼——
呼——
你可別
輸給我！
還在講啊！
你這個小鬼，
真是
倔強。

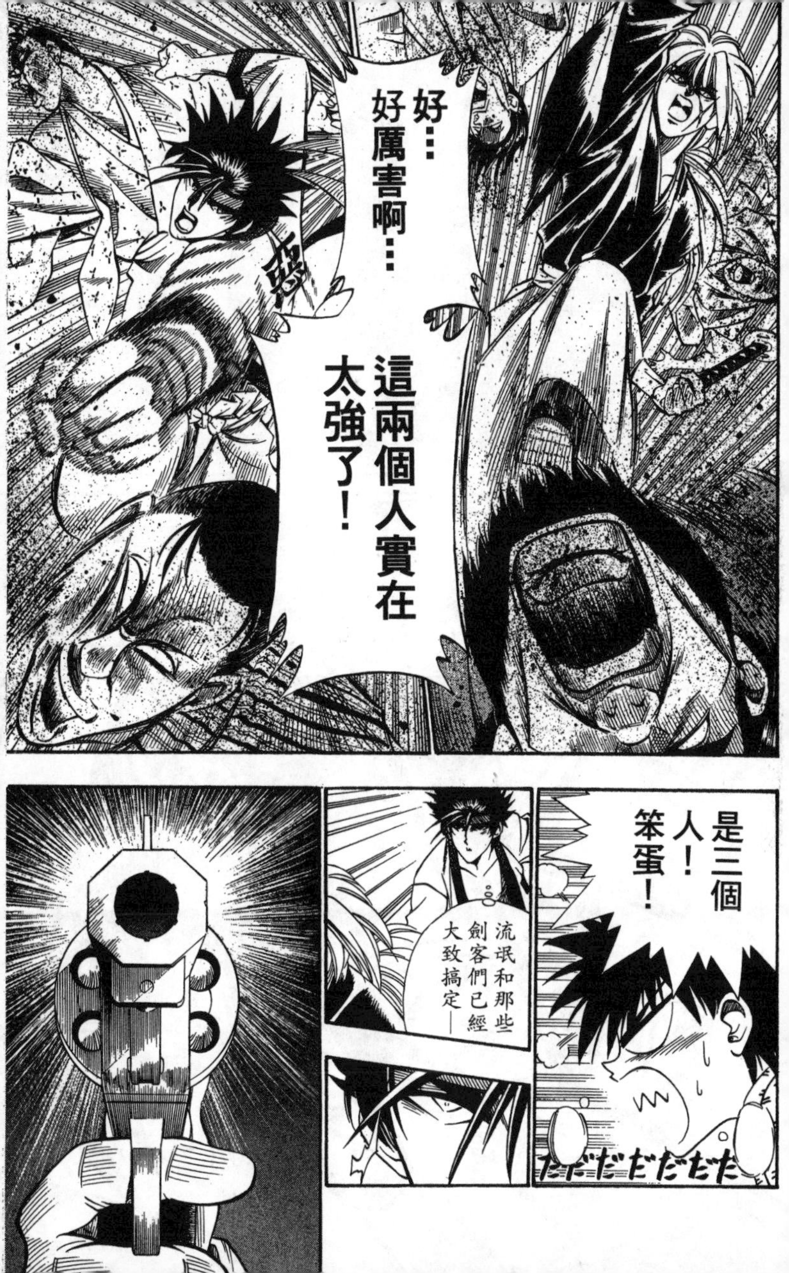

好…好厲害啊…
這兩個人實在太強了！
是三個人！笨蛋！
たただだだだだ
流氓和那些劍客們已經大致搞定—

射擊隊！
準備射擊——！
射…
哇！
啊！
噗啊！
呃啊！
唔啊！

說這種話也許大家會覺得我很落伍，不過我還是要說，那就是最近我迷上了「侍魂」，而且託各位的福，我還買了ＮＥＯ・ＧＥＯ－ＣＤ。我這麼說也許各位會認爲我是個電玩高手，那你們就錯了，其實我這輩子總共只去過電動遊樂場五次而已。我會迷上電玩完全是受了助手們的影響，因此事實上我是個超級電動白痴。就連ＥＡＳＹ・ＭＯＤＥ我都無法搞定，讓霸王丸一死再死。而且因爲我根本沒什麼時間，每個禮拜大概只能抽出１、２小時的時間來練功，所以我的功力絲毫不見長進。我在寫這些話的時候還沒弄到「眞侍魂」，不過我想當各位看到這些話的時候，大概我正在讓牙神幻十郎拚命狂死、死個不停、死到最高點……。（對電動沒興趣因而對以上這些話完全不知所云的讀者，在此致上歉意！）

和月伸宏

左之助！
彌彥！
！
跳！彌彥！
バッ
輪到你出場了！
去展現你的本事吧！
!!!

什麼！
哇啊！
呃啊！
唔！
你這個……
小鬼……
咦？
什麼！
你在找這玩意兒嗎？歐吉桑！
沒想到，我向來爲人詬病的扒手功夫，竟能在這裏派上用場，人生眞是奇妙啊！
啊哇—
哇哇—

砰!!
へな
へな
笨蛋!
我又沒有
眞的開槍。
呼
呼
呼
我是一名
劍士!
呼——
絕不會靠槍
這種玩意兒
的!
呼——
呼——
你這小子
!
不要目中
無人!

!
惡

不要緊吧？彌彥。
接下來才是主戲。
呼—
我好得很！
就算你現在叫我回去，我也絕不會回去的。
呼—
呼—
…好！
就是這種志氣。
你可別輸給我哦！彌彥！
少囉嗦！
還有，你剛才把我當成什麼啦！在空中丟來丟去的！
我給你上場的機會，你應該感謝我才對。
我不懂，爲什麼？
到底是什麼原因能讓緋村拔刀齋…
你應該說，到底他爲了這個女的如此賣命，能得到什麼利益才對！

如果拔刀千人斬是個以利益得失行動的人，
那麼現在，他很可能已經是陸軍的重要幹部了。
!
身爲實業家的你，恐怕是無法理解，
維新志士和我們的立場不同，但他們卻是一群能爲了自己的理想犧牲生命的傢伙。
自從進入明治時代，許多志士們都一個個同流合污了，
然而，他卻仍然堅守著自己的理想。
我已經有十年沒見過這種大人物了，如今卻被這塊誘餌引誘，出現在我的面前！
那個男的，是我們江戶城御庭番眾的獵物！

神劍闖江湖

—明治劍客浪漫傳奇—

第二十二幕
「突破觀柳邸」
和月伸宏

別…別開玩笑了…
要與那個傳說中的千人斬爲敵，那豈不是自尋死路…！
別這麼說，
還有我們御庭番眾在啊。
ピタ…
！
怎麼啦？劍心。

觀柳！
哇！

我是來進貢的，武田觀柳。
唔……
快把小惠帶下來！
……——!!
嘿……
嘿嘿！
嘿嘿嘿！
怎麼了？
他終於崩潰了嗎？
嘿嘿嘿！
哈哈哈！
……

眞不簡單！竟然能不費吹灰之力，就把我手下五十幾個私兵給擺平。
不愧是傳說中的千人斬緋村拔刀齋！
看來，那傢伙……
好擠！
已經派御庭番眾把劍心的底細都查清楚了……
漂亮！我欣賞你的劍術！
加入御庭番眾吧！如果你能加入，那我可說是天下無敵了！
我付你私兵團五十倍的酬勞！
怎麼樣？來當我的私人護衛吧！

你到底……要不要下來？
……!!
我…我付你一百倍！
兩…兩百倍！
你還沒聽懂啊！想用錢收買他是行不通的。
我不是說過了，緋村拔刀齋不是一個爲了利益得失而行動的人。

……
好！
我明白了！我認輸！
我答應放了高荷 惠！
!?
不過，你必須給我一個小時！我要做一點準備！
一小時後，我絕對把她送還給你！
你說什麼鬼話！我們憑什麼相信你這個王八蛋！
現在，請你暫時離開！
キッ
!

劍心！
等一下嘛！再好說話，總得有個限度吧！喂！
很好…！只要有這一小時，我就能逼問出「蜘蛛之巢」的精製方法，到時候，那女人對我來說就是個廢物了！我就不信妳這個女人嘴巴有多緊！

哇啊啊！

一個小時以內，我絕對會殺到你身邊的！
你最好先有個心理準備！
賣弄奸計只會火上加油而已，
那小子的確是個性情中人。
頭…頭子！御庭番眾的佈署—
都已經安排好了。
連接大廳的走廊以及走廊盡頭的樓梯處，分別有我的左右手在那裏鎮守。
3 F
2 F
宴會廳
觀柳、頭子與小惠目前的所在地
1 F
走廊
我則負責守住宴會廳樓梯一上來的地方。

你聽清楚！像癌見或醜男那種沒用的垃圾，我可是拒絕再用了！
那種只拿高薪、卻一點用也沒有的傢伙，我絕不輕饒！
！
你說你「絕不輕饒」，是什麼意思？
你給我搞清楚！御庭番眾的管理權，
不在你身上！
御庭番眾是我的東西！
我不許任何人瞧不起他們！

……
繼續說明。他們的目標是高荷惠，
我會把這個女的關在三樓的瞭望室裏，
你最好少說廢話，在這裏乖乖地給我算你的帳吧！
……
唔…嗯…
はっ
！
がばっ

妳醒了嗎？
這裏…是…
瞭望室嗎？究竟…
神谷道場的那些傢伙來討回妳了！
你騙我…
…怎麼可能！
我騙妳幹什麼？私兵團已經全被擺平了。
我是刻意離開他們的，爲什麼他們…

為什麼神谷道場的那些人…
一個個都那麼笨呢…
カッン…
!
那是妳的短刀，
還給妳。
カラ
カラ
妳最好不要抱著太大的希望，他們是不可能活著來到這裡的。
一個小時以後，等著妳的不是自由，而是觀柳的拷問。
要痛苦地活著，還是要安祥地死去，
至少妳應該要有自己選擇的權利。

觀柳想要得到鴉片和金錢，其實根本就不關我們的事。
我們御庭番眾所要的只不過是「戰鬥」罷了。
我到這散發銅臭味的地方尋求戰鬥的機會已經很久了，
但卻因為妳，使我有機會遇上史上最強的對手。
那把刀算是我的謝禮。
雖然我有點同情妳那不幸的人生，
但其實…這也不關我的事。
バタン…

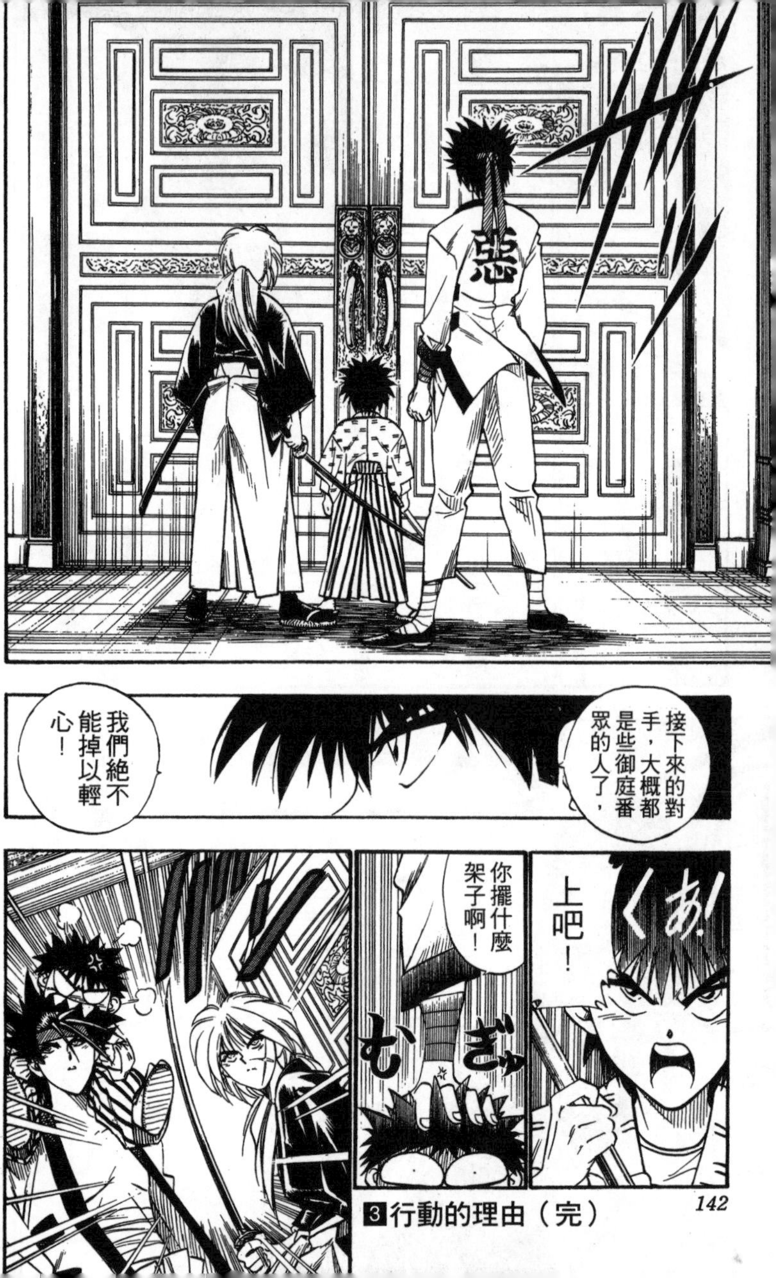
接下來的對手，大概都是些御庭番眾的人了，
我們絕不能掉以輕心！
くあ！
上吧！
你擺什麼架子啊！
むぎゅ

❸行動的理由（完）

!!
眞令人訝異……
以你的身手，竟然擔任鎮守第一關的任務！
我不是說過了嗎——
總有一天，我一定會和你一決高下的！

浪人 —明治劍客浪漫傳奇

這篇作品是比單行本第一集所收錄的短篇還要早半年，在增刊號上的刊載的「神劍闖江湖」的最前身。如果說單行本第一集所收錄的短篇是番外篇的話，那麼以電影的術語來說，這一篇作品就好像試映片，因此在許多細部設定上都與「神劍闖江湖」出入甚大。雖然在這篇故事裏出場的小惠是真正的「小惠」的雛型，但她在故事裏與小薰和彌彥是兄弟姊妹的關係，在個性上也簡直判若兩人。各位讀者看了以後就會明白。另外我想藉這個機會向各位讀者說明一下，其實當初我並不想畫這個題材。我的第一篇作品也是短篇時代劇，而且也得到了讀者不錯的評價，不過時代劇實在是很難的東西，因此當時我想改畫現代的東西。不過編輯部的人卻說：「你這種類型的作品是其他新人所沒有的，而且又獲得了讀者的好評，這是很難得的事，所以你下一部作品不如也以時代劇爲題材，一舉打響你的知名度。最好在劇情上也加點伏筆以便將來做續集！」我接受了他們的建議，畫出了這篇作品。我以我最喜歡，簡直被我視爲聖經的一本書「燃燒吧神劍」中的幕末時代，混上「姿三四郎」所活躍的明治時代爲故事背景的舞台，絞盡腦汁構思劇情。標題也根據內容的修正而一改再改。從「二心劍士」→「萬事通劍心」→「浪人劍心」→「流浪人」→「浪人」一直到最後的「浪人—明治劍客浪漫傳奇」。這篇短短45頁的作品，竟花了我足足8個月的時間，而且還曾一度在編輯會議中被刷掉。因此每當我看到這篇作品，都會想起昔日的種種酸楚。後來，又經過了一年半的醞釀，終於產生了今天的「神劍闖江湖」。在此我要向各位熱情支持我的讀者致上最深的謝意。

從前，在幕末動亂時代的京都，
有一位人稱「拔刀千人斬」的志士。
在這段有如人間煉獄的時代裡，他劍下的亡魂不知何幾！
然而隨著動亂的結束，他也消失了蹤影——
時序推移，如今已是明治十幾年，
在東京…
話雖如此，不過…
我是個「浪人」啊！
カラカラ
所以才會帶刀在身上…
現在已經是神聖的明治時代了，哪還有什麼浪人啊！難道你不知道有廢刀令嗎！
くわっ
什麼？

卷末特別篇②

神劍闖江湖

—明治劍客浪漫傳奇—

所謂廢刀令就是禁止一般人帶刀的法令！
我要根據違反廢刀令的罪名逮捕你！
撲空——
這點小事你就饒了我吧！
ぎなう
你這傢伙——！
明治都已經過了十幾年了，怎麼還會有什麼浪人呢！
大概是跟不上時代腳步的蠢蛋吧！
……
王八蛋！躲哪去了！
他還眞是纏人！
喂！

嚇死我了！原來是個小鬼！
呼—
呼—
我不是小鬼！我叫神谷彌彥！
好啦好啦！我知道啦！求你小聲一點！
對了，你叫我有什麼事嗎？
你那把刀要多少錢才肯出租？
刀？你要這種東西幹什麼？
廢話！當然是殺人啊！
有一個傢伙無論如何我都要他死！
你那是什麼表情！
……
我可是認真的！
不是啦！小鬼，很抱歉！
事實上，我這把刀是不能用來砍人的！
爲什麼！你的刀很鈍嗎？
鈍是不鈍，不過它不能用在你想做的那種事上就對了！

不過，要是你有什麼困難，別客氣，儘管跟我說！
只要我做得到的，我都很樂意幫忙！
我才不要你幫忙呢！
スタ
スタ
喂喂喂！就算我沒理由插手，至少你也可以跟我說嘛！
我說過了，不必你雞婆！
我一定要親手殺了他才有意義！
找到了——！
不要太小看官員——！
這裡太熱鬧了！
我們先到你家去再說吧！
王八蛋！放開我！
這裡就是你家啊？
很抱歉！我家是又破又爛的大雜院！

不過，以前我家可是劍術道館呢！
我爹可是全日本第二強的，要不是他死了…
ザラ
にぱ♡
妳是這小鬼的姊姊吧！我是──
！
你還想來找死嗎…！
咦？
哇啊！

我姊姊小惠絕對不會交給你們的！
你回去告訴西脇吧！
發生什麼事啦？小薰…
等…等一下，小薰，快住手！
你們後退，這傢伙帶著刀呢！
哦嗚—！
他是西脇的手下，姊！
呃啊！
可是他好沒用！
實在很對不起！我妹妹太衝動了…
沒關係啦！不過令妹的劍術的確很不錯呢！
想必都是從令尊那兒學來的吧！
什麼？
剛才那位小兄弟都已經告訴我了，聽說令尊還是全日本第二高強的呢…

不，其實…的確！我父親是繼承了我們家代代相傳的「神谷括心流」道館館主的位置…
不過，雖然有點不敬，但其實他並沒有眞的那麼厲害…
咦…
妳胡說！爹很厲害！
除了最厲害的「拔刀千人斬」以外，他是第二厲害的！
哇！
對啦！你說的對，彌彥！是姊姊不好！
眞抱歉！其實彌彥並沒有從我父親身上學到任何劍術！
在他懂事以前，我父親就已經在西南戰役中不幸身亡了…
因此，那孩子對父親的憧憬可說是加倍的深重，
所以才會堅信「父親是很厲害的」！

而那個所謂的「拔刀千人斬」，其實是幕末時和我父親在一起的攘夷志士！
父親時常在我們面前稱讚他，說他的劍術是天下第一流的！
原來如此，所以他才會說拔刀千人斬是第一強，而令尊是第二了！
據說那個「拔刀千人斬」…
用的是「飛天三劍流」，只揮一劍就能同時砍倒三個對手呢！不過，我總覺得有點不可思議…
因為畢竟所謂的「飛天三劍流」，只不過是戰國時代傳說中的劍術而已…
不必說得那麼詳細了！剛才我聽到你們提起什麼「西脇」的…
可以的話…
那件事和你無關！我不希望有人抱著看好戲的心態來聽故事！
……
雖然我打了你，是我不好…
不過，這是我們神谷家的問題！
你是誰啊！憑什麼來管我家的事！

妳不知道我是誰啊？其實我只是個浪人而已…
裝傻
我不是在問你是誰！我是要你馬上給我滾出去！
小姑娘，你實在是太剽悍了！
你叫誰小姑娘啊！
快住手！小薰！
啊~~
哎呀！怎麼這麼熱鬧啊！
咦！
各位好！

西脇…先生…
哦！原來就是他啊！
妳看起來又更加憔悴了呢！小惠！
一定是因爲妳原本身體就不好，又過著這麼窮困的生活！
我勸妳還是不要再作無謂的抵抗了！
跟我一起回我神谷括心流的道館吧！
我…？
剛才小惠不是說那是世代相傳的道館嗎…
…是他搶走的！
那個王八蛋以代理師傅的名義，把我們家的道館給搶走了！
他趁著我爹過世，道館裡沒有主人的時候，硬把其他門下的弟子全趕了出去—
然後又擅自把一票他手下的嘍囉和賭徒們給帶了進來！
我說的沒錯吧！西脇！

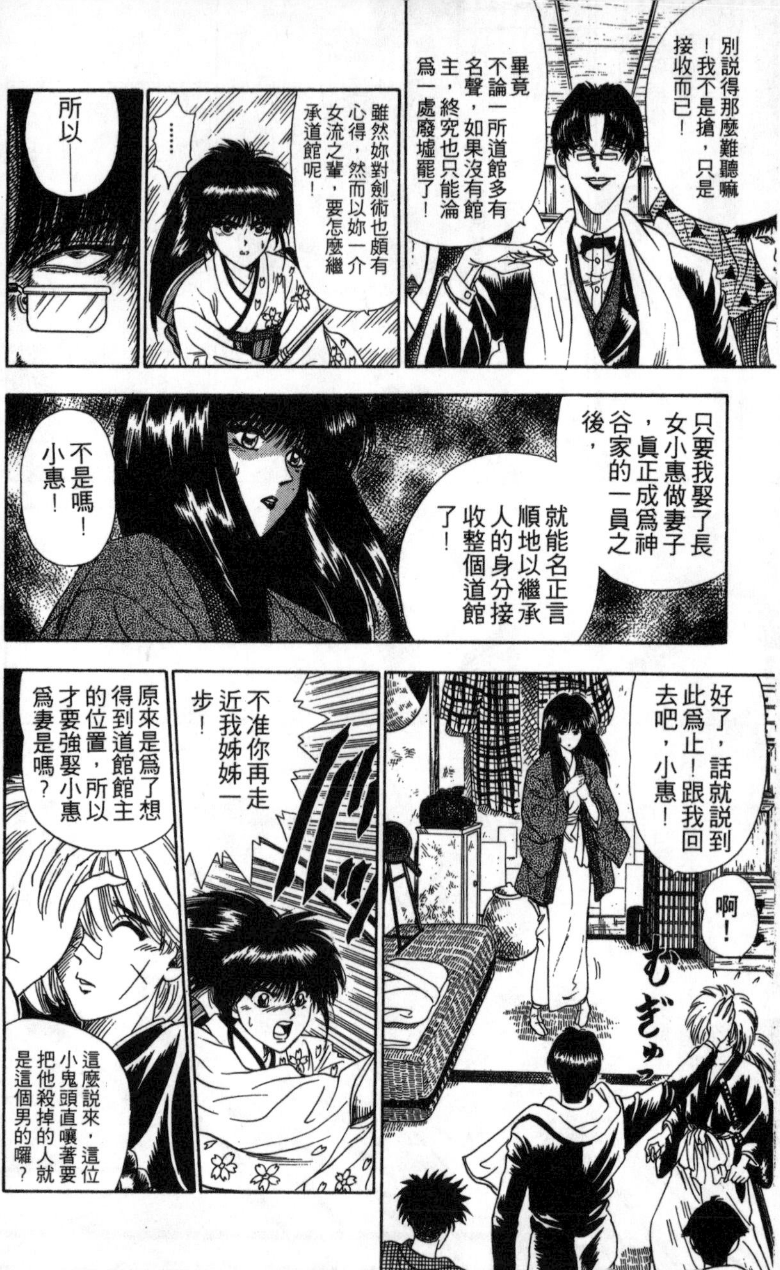
別說得那麼難聽嘛！我不是搶，只是接收而已！
畢竟不論一所道館多有名聲，如果沒有館主，終究也只能淪爲一處廢墟罷了！
……
雖然妳對劍術也頗有心得，然而以妳一介女流之輩，要怎麼繼承道館呢！
所以——
只要我娶了長女小惠做妻子，眞正成爲神谷家的一員之後，
就能名正言順地以繼承人的身分接收整個道館了！
不是嗎！小惠！
好了，話就說到此爲止！跟我回去吧，小惠！
啊！
むぎゅっ
不准你再走近我姊姊一步！
原來是爲了想得到道館館主的位置，所以才要強娶小惠爲妻是嗎？
這麼說來，這位小鬼頭直嚷著要把他殺掉的人就是這個男的囉？

什麼！
ピク
啊！
彌彥！
沒錯！
你這小鬼…
給我閃一邊去！
喂喂喂！不要這麼粗暴嘛…

…
呃啊！
妳這臭婊子！
彌彥！危險！快退下！
你就聽小姑娘所說的去做吧！
！
喂，小鬼！
小鬼…
！
彌彥！你快退下！

給我滾！小王八蛋！
退下！彌彥！
你在這裡只會礙手礙腳而已！
彌彥！
彌彥！
啊啊啊啊啊啊！

喂！你們在我的房子裡鬧什麼鬧啊！
再不住手，我可要報官了！
！
房東先生…
怕官還幹得了賭徒嗎！
給我住手！

很抱歉！驚擾了各位！
我們馬上就要走了，所以請您就別報官了！
啊…哦！
小惠，很抱歉！我的手段稍嫌激進了一點，
不過我希望妳能了解，我所做的一切全都是爲了要使神谷括心流能繼續傳承下去啊…
相信妳也絕對不想看見自己家祖傳的流派，就此斷在妳父親這一輩吧！
該怎麼做妳自己好好想清楚吧！
這到底是怎麼回事！神谷小姐！
我希望妳能解釋清楚！
這是…我…
小鬼…
嗯？

小鬼他…
不見了！
真是的！到底跑到哪去了！這個死孩子！
西脇的事已經夠讓我火大了！這小子竟然還…
常生氣臉上容易有皺紋哦！
算了啦！不要這麼生氣嘛！
我一開始就反對那傢伙入門的！
外面都傳說他以前曾是那群賭棍的頭頭！
我就知道他會入門一定沒安好心！

カッ…
可是…
爹卻被他那一手漂亮的劍術給矇騙，讓他入了門來…
害得我們今天…
原來如此！妳父親就是這麼一個大好人！
他當初只是認爲有教無類，希望能藉由劍術來把他導向正途…
好了啦！都已經是過去的事了，妳就別再怪妳爹了！
……
嗯？怎麼了嗎？
啊！
咦？
他剛才說那些話的口氣，好像他和爹很熟似地…
…難道…

他在那裡…
竟然爬到屋頂上去了！
喂！給我下來！彌──
你幹什麼！
交給我來吧！
もが
等一下！
這是我們男人之間的談話，妳就在這裡等一下吧！
……？
嗨！
你姊姊她們都很擔心你耶！
趕快回家吧！

ぷい
是不是因爲你姊姊嫌你礙手礙腳，
所以你就討厭她啦？
不！應該說其實你非常喜歡你兩個姊姊！
你討厭的是無法保護姊姊們的沒用的自己！
因爲你想以自己的力量來保護姊姊們，
所以你才會說出「一定要親手殺了他才有意義」這種話！

雖然你年紀還小，不過由於你神谷彌彥是全日本第二強的人的兒子，
因此你自己也應該要很強才對呀！
不過，彌彥！「殺人」並不是一件好事！
ちょこん
相信你父親也不願意見到你成爲一位「殺手」！
一個「殺手」不管他有多強，到頭來卻會發現一切都是空！
所留下的只有無盡的悔恨與一把寂寞的劍罷了…
どげん！
你這個軟弱的傢伙，不要說得好像自己很了不起似地！
啊！
算了，不談別的！彌彥，我相信你將來一定能變強的！
我可以保證！你放心吧！
誰要你的保證啊！

算了！這次的事我就不再追究！
不過下次，如果你們再這樣大吵大鬧的話，那我可得請你們走路囉！
非常對不起！
啊！小薰，妳回來啦！彌彥呢？
ぽて…
小薰？
爲什麼身爲姊姊的我不了解，
而那個什麼浪人的竟然能了解彌彥的心情！
爲什麼我……
甚至連想都沒想過要去了解彌彥的心情…
小薰…

彌彥和小薰兩個人都已經受夠了…
すっ…
我不能再讓他們兩個受苦了…
只要我放棄的話…
相信妳也絕對不想看見自己家祖傳的流派，就此斷在妳父親這一輩吧！
該怎麼做妳自己好好想清楚吧！
只要我答應到那個男的那裡，那麼所有的問題都能解決了！
—只要我答應到那個男的那裡去—
原來妳們兩個是同性戀啊？
真可惜！兩個都是大美人呢！
你想到哪裡去了！
什麼是同性戀？
這種事你不必知道也沒關係…
今天已經很晚了，大家去休息吧！
什麼！你想住在這裡啊！

チチチ…
我到西脇那裡去了！小薰，彌彥就拜託妳照顧了！
惠
爲什麼…
姊…爲什麼妳要…
くしゃ…
這麼軟弱…
你們現在打算怎麼辦？
廢話！當然是殺到西脇那裡去啊！
要我犧牲姊姊一個人，很抱歉，我辦不到！
唰！
バッ
ィッ
！
彌彥！
ッ…

姊姊要專心對付西脇那群傢伙！
因此，小惠姊姊的安全就交給你了！
咕嘟
走吧！彌彥！
ダッ
這是……

妳能專程過來，我真的很高興！
不過…
妳隨隨便便就闖進道館裡，那就不太好了！
西…西脇先生，這究竟是…
難道妳還看不出來嗎？我正準備把這裡改成賭場呢！
道館這種地方，可說是少數能夠與世隔離的地方，用來當做賭場，簡直再適合不過！
妳也不要怪我！畢竟這麼好這麼大的一塊土地，
與其把它拿來開什麼爛道館，不如拿來開設賭場要好得多！
就算到時候被官員發現，我只要在他們行動之前搶先把地給賣了，
又能夠輕輕鬆鬆賺上一筆！
你…
原來你打算一開始就想…

現在已經是文明開化的明治時代了！
什麼劍術不劍術的，未免太落伍了吧！
西脇——！
你眞是…
下賤！
隨妳怎麼說！
快放了我姊姊！
否則老娘宰了你！
好兇悍！
哼！
小薰！
彌彥！

只要有這個女的就行了，那個小鬼頭已經沒有利用價值了！
不行啊！你們快逃！
上！彌彥！
等一下！
もが
你幹什麼！
你幹嘛跟著我們跑來！
ぎゃあ
這也是應該的啊！這裡的事就交給我來辦吧！
ぎゃあ
你們是來這裡起內鬨的嗎…
不不不…
我們是打算來這裡把小惠小姐以及道館一併收回來的！
「神谷括心流」與這所道館都是家傳的東西！
因此最合適的繼承人選應該是長男彌彥才對吧！
ピク

當然囉！要等到他長大成人以後才能繼承，
所以在這段期間，就由小薰來暫時代理接管！
反正她的個性就像個男孩子似地，代理一陣子應該沒關係吧！
ボカッ
你不說話沒人把你當啞巴！
哼…的確是很有道理！
那麼你是要我拱手把一切都讓出來囉？
不行嗎？
那要怎樣你們才肯答應呢？
很簡單！只要你能用你腰上的那把刀，把我們全打趴在地上就行了！
包括「神谷括心流」的代理師父我以及我門下的九名賭徒哦！
…我就擔心你們會想要訴諸暴力…
不過，既然你們如此要求…

等…等一下！
你的盛情我們心領了！可是我們沒有理由把一個毫不相干的人給拖下水啊！
咦？
毫不相干？妳真無情！我們可是有過一宿一飯的情誼在啊！
神經病！就這樣你就連命都不要啦！
當然不只這樣囉！
還有另一個理由…
我想…也許是死去的越路郎兄，擔心他留下的子女…
所以才冥冥中把我給帶來這裡的也說不定…
好了！
這裡很危險，你們還是退後點吧！
為什麼他…我們什麼也沒說，他怎麼會知道爹的名字呢…
他果然認識爹…！他究竟是…
夠了吧！我可沒時間看你們一唱一搭地演雙簧！

給我幹掉他！
彌彥！
這就是你父親以前時常稱讚不已的劍術！
好好看清楚哦！
!!

唔！
呃啊！
哇！
！

好強…太厲害了…
這就是飛天三劍流嗎？
這個人…
這個浪人他…
什麼…！
他就是——
爹口中所說的史上最強的——

拔刀千人斬！！
只…只揮…揮了三劍…
只揮了三劍就殺了九個人…
喂！妳可別亂講啊！
我可是一個人都沒殺哦！
⁉
什麼！這把刀…！
這是一把刀背與刀刃相反的逆刃刀！
用它來打鬥，就不會讓對手死於非命了！
是啊！這種刀根本就殺不了人啊！
爲什麼你會…
那又有什麼關係呢！
只不過…

它雖然殺不了人，卻還是能讓人斷好幾根骨頭哦！
西脇兄！
可惡…
你現在願意罷手了嗎？
王…王八蛋！
不要太瞧不起人！
我可是神谷括心流的代理師父！像你這種小角色…

這種話你也說得出口！
不怕玷污了神谷括心流的名聲嗎！
可…惡…
他的動作實在快得不像話…我跟他簡直沒得比…
不過——
這個你就沒輒了吧！
手槍！
形勢大逆轉囉！
無論你的劍術有多高明，碰到這個也是英雄無用武之地了吧！
我再問你一遍！你到底願不願意放了他們姊弟！

廢話少說！
去死吧！
……唔……
……唔唔……

哇啊啊啊啊啊啊！
只要看清你的視線和槍口的角度，
要算出彈道也不是什麼困難的事！
呃啊！

唔哇！
哇…
人的忍耐是有限度的…我再警告你最後一次！
永遠不要再來打擾他們姊弟三個！
聽清楚了嗎？

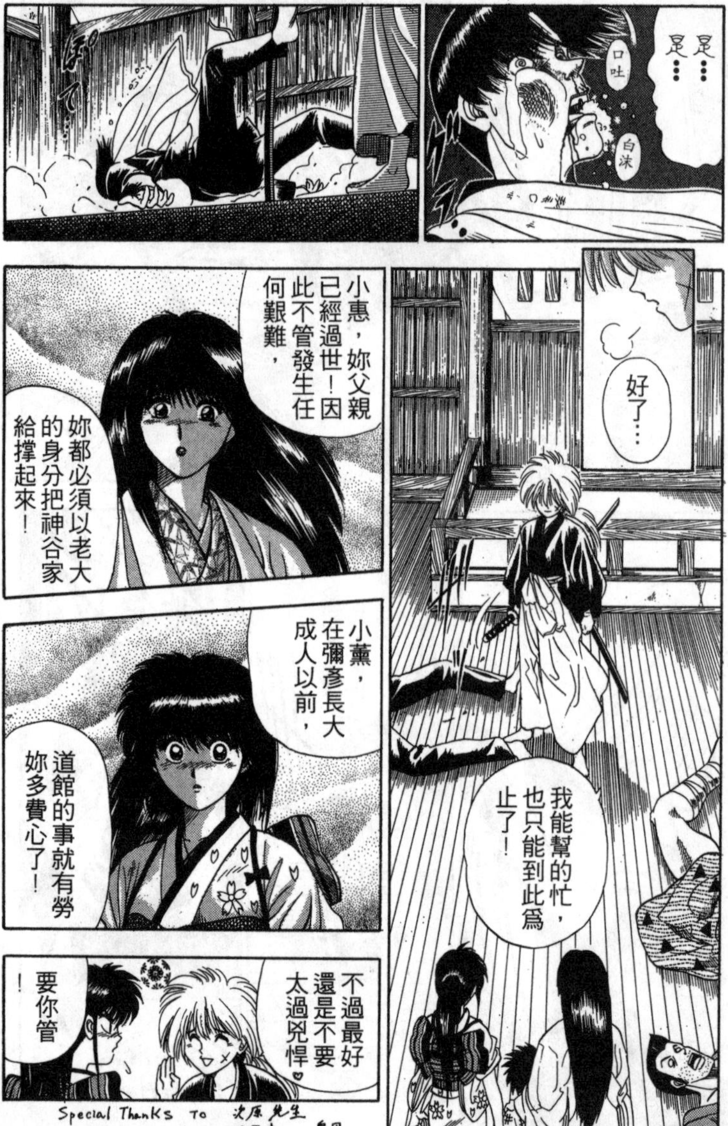

是…是…
口吐
白沫
ぽて
好了…
我能幫的忙，也只能到此爲止了！
小惠，妳父親已經過世！因此不管發生任何艱難，
妳都必須以老大的身分把神谷家給撐起來！
小薰，在彌彥長大成人以前，
道館的事就有勞妳多費心了！
不過最好還是不要太過兇悍♥
要你管！
Special ThanKs TO 次原先生 辺母木 島田 斉藤

教我……飛天三劍流……
我求求你……
我也要變得像你一樣厲害！
我說過了，一個「殺手」不管他有多強，到頭來卻會發現一切都是空！
如果我用的不是這把刀，他們早就全成了我劍下的亡魂了！像這種邪惡的劍術，你不學也罷！
你只要學好神谷括心流的劍法就行了！
ぽむ…
然後——
能不忝你父親的英名，做一個傑出的劍術家！
堂堂正正地活下去！
等……等一下，你要去哪裡？

我是個「浪人」！
本來就是…四海爲家，到處流浪的！
……
…拔刀千人斬…
那種刀根本就殺不了人啊！
為什麼你會—
那樣又有什麼關係呢！
他只是個…無名無姓的浪人…
不…

從前，在幕末動亂時代的京都，
有一位人稱「拔刀千人斬」的志士。
在這段有如人間煉獄的時代裡，他劍下的亡魂不知何幾！
然而隨著動亂的結束，他也消失了蹤影—
時序推移，如今已是明治十幾年，
在東京，
有一位自稱「浪人」的劍客，
今天我一定要逮捕你！
這傢伙眞是陰魂不散！
獨自在時代中飄盪流浪。
11/30 H4 WATSUKI
不過，如果那個浪人是爹當年的同志的話，那他今年應該幾歲啦……
ハッ…
對啊…
再怎麼年輕也不會只有30歲左右吧…

神劍闖江湖 —明治劍客浪漫傳奇—（完）

JC03503

神劍闖江湖③

原名：るろうに劍心ー明治劍客浪漫譚ー③

行政院新聞局局版北市業字第855號
■作　　者　和月伸宏
■譯　　者　傅國忠
■執行編輯　林倩如
■發 行 人　范萬楠
■發 行 所　東立出版社有限公司
台北市承德路二段81號10樓
☎(02)25587277　FAX(02)25587281
■劃撥帳號　1085042-7（東立出版社有限公司）
■劃撥專線　(02)28100720
■印　　刷　嘉良印刷實業股份有限公司
■裝　　訂　台興印刷裝訂股份有限公司
■法律顧問　曾森雄律師　曲麗華律師
■1996年2月25日第1刷發行
1999年7月30日第13刷發行

日本集英社正式授權台灣中文版

ISBN 957-34-3622-1　定價：NT75元
TAIWAN CHINESE EDITION, FOR DISTRIBUTION AND SALE IN TAIWAN ONLY
台灣中文版・僅限台澎金馬地區發行販售